Stadtansicht 1575 von Braun und Hogenberg

Geschichte der Stadt

Den Bewohnern des Danziger Lands wurde der Fernhandel seit frühester Zeit in die Wiege gelegt. Dies verdankten sie dem Bernstein, der schon bei den modebewussten Römerinnen heiß begehrt war. An der Weichselmündung begann die ‚Bernsteinstraße', einer der ältesten europäischen Handelsverbindungen, auf der der Edelstein des Nordens seinen Weg bis nach Rom fand. Dank des Bernsteins erhielten auch die römischen Geschichtsschreiber Kunde vom Weichselfluss, den sie als Grenze zwischen germanischen, baltischen und slawischen Völkern beschrieben.

Im Zuge der Völkerwanderung verließen die Goten und andere germanische Völker das Weichselgebiet. Slawische Stämme zogen vor der Mitte des ersten nachchristlichen Jahrtausends nach und kamen auch in die Danziger Gegend. Sie übernahmen die Tradition des Fernhandels und verkauften den begehrten Bernstein bis hin in die arabischen Länder. Dieses Geschäft weckte auch die Begehrlichkeiten der Wikinger, die sich hier im 9. und 10. Jahrhundert nachweisen lassen.

Der Name Danzigs taucht erstmals in der Legende des heiligen Adalbert, Bischof von Prag, auf. Adalbert brach 997 von der Stadt „Gyddanyzc" aus in das Land der benachbarten Prußen auf, um dieses heidnische Volk zum Christentum zu bekehren. Bald nach seiner Ankunft wurde er von den Ungläubigen erschlagen. Der polnische Herzog Bolesław Chrobry kaufte den Leichnam den Heiden ab, indem er den Toten mit Gold aufwiegen ließ, und brachte die sterblichen Überreste des Märtyrers nach Gnesen.

Das große Danziger Siegel (ab 1400 in Gebrauch)

Das Danzig aus der Zeit Adalberts war ein kleines slawisches Fischer- und Handelsstädtchen der Pomoranen, die zur Zeit Adalberts mit dem polnischen Piastenreich verbunden waren. Die Stadt entwickelte sich zum Hauptport der Herrschaft Pommerellen. Fürst Subislaus († 1187) holte um 1180 Zisterziensermönche in das nahe gelegene Oliva. Die fleißigen Mönche machten nicht nur große Landflächen urbar, sie errichteten um 1200 auch den ersten Backsteinbau in diesem Teil Europas. Die Entwicklung der Stadt nahm unter Herzog Swantopolk (1220–1266) einen kräftigen Aufschwung. Er übergab 1227 dem Dominikanerorden die Nikolaikirche und gründete vor 1240 eine neue Stadt für deutsche Kaufleute nach Lübecker Recht. Zur Zeit Swantopolks besaß Danzig vier Siedlungsbereiche: die herzogliche Burg, eine Siedlung der Fischer und Bernsteinsammler bei der Burg, die Altstadt mit der Pfarrkirche St. Katharinen und die Kaufmannsstadt mit der Pfarrkirche St. Marien. Hier lebten drei Volksgruppen nebeneinander: Pomoranen, Prußen und Deutsche.

Unter den Nachfolgern Swantopolks kam es zu einem blutigen Bruderkrieg um die Herrschaft in Pommerellen. Zur Stärkung der eigenen Position verbündeten sich die Konkurrenten mit den benachbarten Mächten: Polen, Brandenburg und Deutscher Orden. Als 1294 die Dynastie der Pommerellenherzöge ausstarb, fochten die ‚Helfer' den Kampf um den Besitz des Landes unter sich aus. Als Sieger ging schließlich 1308 der Deutsche Orden hervor, der Danzig und ganz Pommerellen unter seine Herrschaft brachte.

Der Orden errichtete in der Stadt einen Komturssitz mit einer mächtigen Konventsburg. Die Rechtstadt erhielt 1342/43 das im Ordensland gültige Kulmer Recht und entwickelte sich rasch zu einer großen Fernhandelsmetropole, die ab 1361 Mitglied der Hanse war. 1343 wurde der Grundstein für den Neubau der Marienkirche gelegt, es entstanden ein großes Rathaus und eine mit vielen Türmen bewehrte Stadtbefestigung. Am Ende des 14. Jahrhunderts war Danzig, ein Gebilde aus mehreren Städten, zur größten und wirtschaftlich potentesten Stadt im Ordensstaat herangewachsen. Die Altstadt erhielt 1377 Stadtrechte und 1380 gründete der Orden südlich der Rechtstadt die Jungstadt (Neustadt). An der Mottlau, gegenüber des Hafens, entstand die Speicherinsel mit hohen Lagerhäusern, die mit Handelswaren aus ganz Europa gefüllt waren.

links: Grundmauern der ersten Nikolaikirche (Ende 12. Jh.) unter der Markthalle.

rechts: Gewölbe des 13. Jh. im Dominikanerkloster

Die Danziger belagern 1457 die Marienburg (Detail aus einem verschollenen Gemälde des Artushofs)

Danziger Wappen aus der Ordenszeit (am Brotbäckertor)

Danzig im 15. Jh.
A = Altstadt
B = Rechtstadt
C= Neustadt
D = Burg
E = Speicherinsel

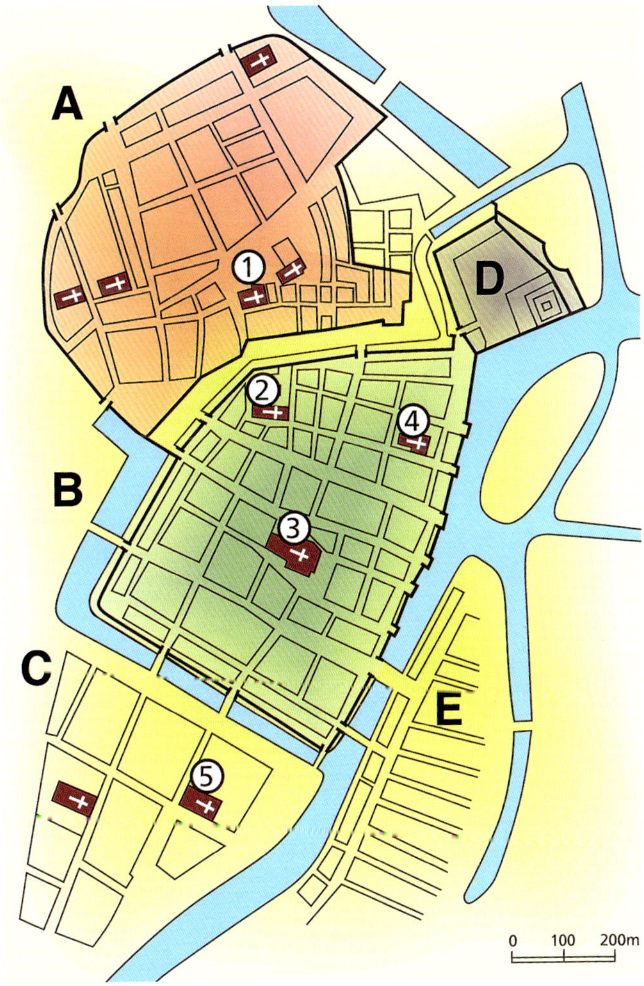

Trotz dieses wirtschaftlichen Aufstiegs kam es im 15. Jahrhundert zu Konflikten zwischen den Bürgern der Rechtstadt und ihrem Landesherrn. Besonders ärgerlich für die Kaufleute war der Umstand, dass der Deutsche Orden selbst kräftig in Handelsangelegenheiten tätig war und verschiedene Privilegien und Monopole (z. B. den Bernstein- und Salzhandel) für sich in Anspruch nahm. Nach der verlorenen Schlacht bei Tannenberg (1410) musste der Orden neue Steuern erheben, um die Kriegsschulden bezahlen zu können. Dies verschlechterte seine Beziehung zu Danzig noch mehr, denn nichts bringt einen Kaufmann mehr in Rage als zu hohe Steuern. Die Oppositionsbewegung gegen den Orden schloss sich 1440 im ‚Preußischen Bund' zusammen. 1454 erklärten die preußischen Städte – unter der Führung Danzigs – ihrem Landesherrn den Krieg. Die Ordensburg in Danzig wurde erstürmt und sofort dem Erdboden gleichgemacht. Die Aufständischen erkannten den polnischen König als neuen Schutzherrn an. Im Mai 1457 zog Kasimir IV. in Danzig ein und ließ sich von

Danzig im 17. Jh. mit den mächtigen Festungswerken im Vordergrund (nach Merian)

den Ratsherren huldigen. Der Krieg mit dem Deutschen Orden sollte jedoch 13 Jahre dauern. Im Thorner Frieden von 1466 wurde die Oberherrschaft Polens über Danzig schließlich bestätigt.

Der Traum der Danziger Ratsherren war die Errichtung einer weitgehend autonomen Stadtrepublik nach dem Vorbild von Lübeck oder Venedig. Durch das Bündnis mit Polen kam man diesem Ideal sehr nahe. Danzig und Polen waren eine für beide Seiten lohnende Symbiose eingegangen. Polen gewährte der Stadt großzügige Freiheiten und Privilegien, Danzig füllte im Gegenzug die königliche Kasse und leistete häufig militärischen Beistand. Die-

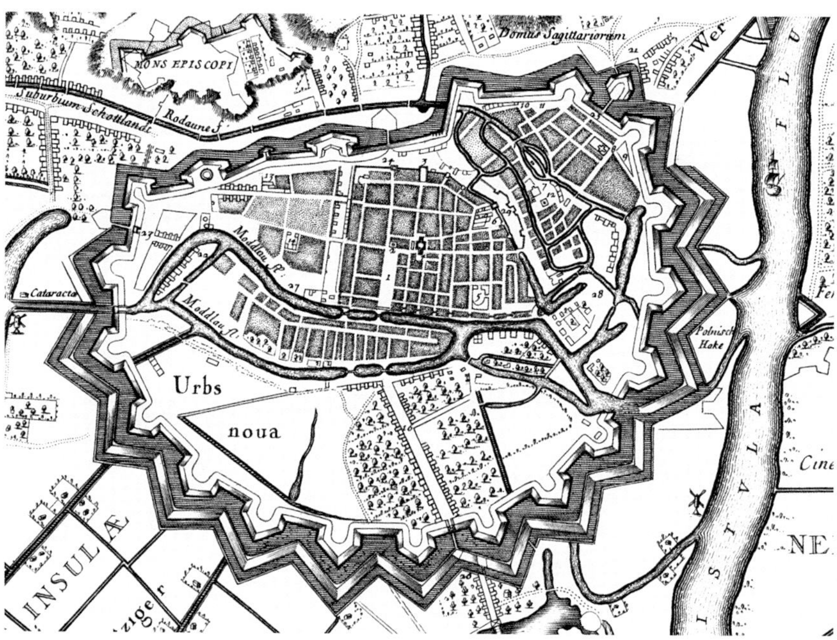

Plan des befestigten Danzigs in der Mitte des 17. Jh.

ses Bündnis erwies sich so lange als erfolgreich, wie beide Partner stark waren, d. h. vom 15. bis zum 17. Jahrhundert. Der Begriff ‚Schutzherrschaft' gibt die wahren Verhältnisse jedoch nicht wieder. Danzig musste nicht geschützt werden, denn es galt im 16. und 17. Jahrhundert als uneinnehmbares Bollwerk, an dem sich alle Belagerer die Zähne ausbissen. Da Krieg jedoch Gift für das Geschäft war, versuchten sich die Danziger Kaufleute häufig aus den Machtkämpfen ihres Königs herauszuhalten. In mehreren Konflikten blieben sie neutral und ließen ihren Schutzherrn seine Kriege alleine ausfechten.

Zu einem heftigen Streitpunkt entwickelte sich die Konfessionsfrage. Unter den Einwohner Danzigs gewannen reformatorische Ideen schnell an Beliebtheit. Schon 1520 wurden erste Schriften Luthers in der Stadt gedruckt und 1523 predigte Jakob Hegge erstmals in der Marienkirche im Geist der Reformation. Unter dem Einfluss reformatorischer Prediger radikalisierten sich Teile der Bevölkerung, was 1525 schließlich zu einem Aufstand gegen das alte Stadtregiment führte. König Sigismund I., der von Anfang an die Einführung des Luthertums untersagt hatte, sah nun Handlungsbedarf und schlug die Revolte 1526 gewaltsam nieder. Die Anführer wurden hingerichtet und der Protestantismus in Danzig verboten. Der Sieg der Katholiken währte jedoch nur kurze Zeit, denn die Danziger Bevölkerung wandte sich wieder schnell der Lehre Luthers zu, was der polnische König schließlich 1557 anerkennen musste.

Die Grundlage des Danziger Reichtums bildete der Getreidehandel. Polen war in der frühen Neuzeit der größte Getreideproduzent Europas und der gesamte Fernhandel wurde über die

Die Grundmauern der 1454 zerstörten Ordensburg

Der betriebsame Danziger Hafen an der Mottlau im frühen 17. Jh.

Danziger Frauentracht aus der 2. Hälfte des 16. Jh.

Stadt an der Weichselmündung abgewickelt. Schiffe aus Danzig versorgten nicht nur die Länder im europäischen Norden, sondern fuhren auch bis ins Mittelmeer. Wenn irgendwo in Europa durch Missernten Hungersnöte drohten, schickten die betroffenen Länder umgehend ihre Unterhändler nach Danzig, um möglichst viele Schiffsladungen mit Getreide zu ordern. Sogar der Papst überhäufte am Ende des 16. Jahrhunderts lutheranische Danziger mit großen Ehren, weil sie die Stadt Rom vor dem Hunger bewahrt hatten.

Üblicherweise besuchte ein neu gewählter König am Beginn seiner Herrschaft Danzig, um deren Privilegien zu bestätigen und sich huldigen zu lassen. Diese Besuche gaben den Anlass zu prächtigen Feierlichkeiten und der gegenseitigen Zurschaustellung von Reichtum und Macht. Die polnischen Könige besaßen jedoch keine eigene Residenz in der Stadt, sondern wurden bei ihren Besuchen in vornehmen Privathäusern am Langen Markt untergebracht. Nachdem Danzig den Deutschen Orden vertrieben und dessen feste Burg zerstört hatte, achteten die Bürger streng darauf, dass sich kein starker Landesherr mehr innerhalb der Mauern der Stadt eine Befestigung errichtete.

Johann Hevelius

Wenig Freude mit seiner größten Stadt hatte König Stephan Báthory. Dieser verlangte von den stolzen Bürgern die Huldigung, ohne zuvor die alten Privilegien der Stadt bestätigt zu haben. Die Danziger lehnten 1577 das Verlangen ab und der frisch gekrönte König erschien umgehend mit einem großen Belagerungsheer. Das von einem modernen Befestigungssystem umgebene Danzig erwies sich jedoch als uneinnehmbar. Báthory blieb nichts anderes übrig, als sich in einem Friedensvertrag an die alte Tradition „Privilegien gegen Huldigung“ zu halten. Den Groll des Königs dämpfte die Stadt durch eine großzügige Geldspende von 200 000 Gulden in die herrschaftliche Kasse. Die Zuneigung des Herrschers konnten sich die Danziger damit nicht erkaufen. Stephan Báthory hat die Stadt während seiner Herrschaft kein einziges Mal betreten.

Danzig befand sich nun auf dem Höhepunkt seiner Macht und seines Reichtums. Die Einnahmen der Stadt waren doppelt so hoch wie die des gesamten polnischen Königreichs. Mit soviel Geld konnte man sich vieles erlauben und selbstbewusst auftreten. Danzig führte eine eigene Außenpolitik und errichtete Gesandtschaften in vielen Hauptstädten Europas. In der Stadt wimmelte es von Kaufleuten aus zahlreichen Ländern, doch benötigte jeder auswärtige Händler für seine Geschäftsabschlüsse einen Danziger Kaufmann als Kompagnon. Im Lichte des wirtschaftlichen Glanzes blühten auch Wissenschaft und Kunst. Die Bürger errichteten sich prächtige Wohn- und Handelshäuser im moder-

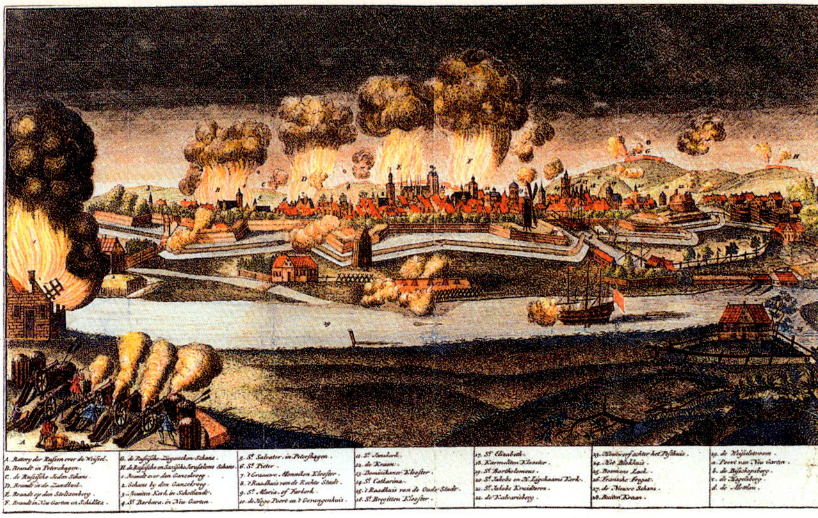

Die Belagerung Danzigs 1734 durch russische und sächsische Truppen

nen Stil der niederländischen Renaissance. Die Stadtbibliothek konnte mit den Buchbeständen großer Universitäten wetteifern und der Danziger Astronom Johann Hevelius instalierte über den Dächern der Stadt ein vielgerühmtes Observatorium.

Während der nachfolgenden Dynastie der Wasa-Könige waren das Verhältnis zwischen Danzig und ihren königlichen Schutzherren freundlicher und die Besuche häufiger. Die neuen Herren zogen ihre Stadt im 17. Jh. jedoch in die langjährigen nordischen Kriege hinein, die Danzig manchen wirtschaftlichen Schaden brachten, jedoch seine starke Stellung noch nicht grundlegend erschütterten. Im 18. Jahrhundert begann der Stern Danzigs zu sinken. Das einstmals so mächtige Handelsbündnis der Hanse erlosch und das polnische Königreich begann in sich zusammenzufallen. Als die Stadt im polnischen Erbefolgestreit 1734 König Stanislaus Leszczynski in ihren Mauer aufnahm und schützte, stand sie plötzlich alleine im Machtkampf mit dem erstarkten Russland und dessen sächsischen Verbündeten. Die russische Belagerung fügte Danzig schwere Schäden zu und zwang die Stadt schließlich zur Kapitulation. Erstmals seit der Eroberung durch den Deutschen Orden 1308 musste die Stadt die Waffen strecken und sich einem mächtigeren Gegner ergeben. Diese Niederlage bedeutete das Ende Danzigs als eigenständiger Machtfaktor im Nordosten Europas. Die Zerstörungen und Kriegsschulden lasteten noch lange auf der Stadt und sie wurde, wie die ganze Republik Polen, zum Spielball der benachbarten Großmächte. Der Abstieg in die wirt-

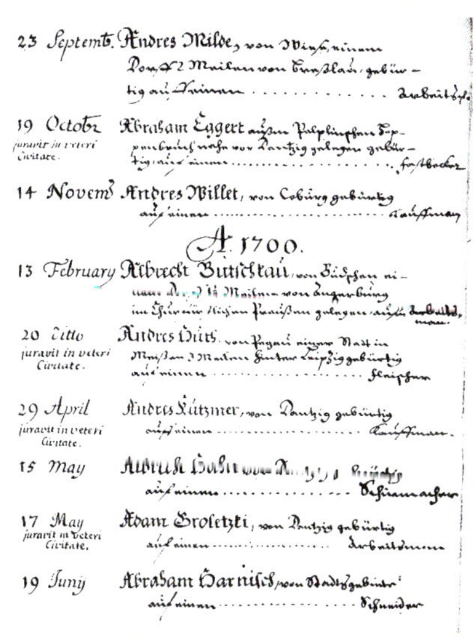
23 Septemb. Andres Milde, ...
19 Octobr Abraham Eggert ...
juravit in veteri Civitate.
14 Novemb. Andres Willet, von Coburg gebürtig ...
A. 1700.
13 February ...
20 ditto ...
juravit in veteri Civitate.
29 April ... von Danzig gebürtig ...
juravit in veteri Civitate.
15 May ...
17 May ... von Danzig gebürtig ...
juravit in veteri Civitate.
19 Juny ...

Seite aus dem Danziger Bürgerbuch von 1700

Das Hohe Tor und die Befestigungswälle im frühen 19. Jh.

schaftliche und politische Bedeutungslosigkeit war unaufhaltsam.
Bei der ersten polnischen Teilung 1772 blieb Danzig formell noch unangetastet und wurde nicht dem preußischen Staat einverleibt. Das gesamte Umland dagegen kam unter die Herrschaft der neuen Großmacht aus Berlin. Faktisch war dies das Ende der Danziger Stadtrepublik. Formal gehörte es noch zu Polen, doch führten alle Wege dorthin nun durch preußisches Territorium. Der königliche ‚Schutzherr' in Warschau war schon weitgehend handlungsunfähig. Der preußische König Friedrich der Große wollte Danzig ohne militärische Gewalt für sich gewinnen und leitete einen Wirtschaftskrieg gegen die Stadt ein. An den Ausfahrtsstraßen wurden Schlagbäume installiert, an denen preußische Beamte horrende Zölle auf alle Waren forderten. Danzig war wirtschaftlich von der Welt abgeschnitten, der Handel kam fast völlig zum Erliegen, die Speicherhäuser standen leer und tausende Menschen emigrierten aus der Stadt. Die Einwohnerzahl sank auf 37 000, halb so viel wie in der Blütezeit des 17. Jahrhunderts. Gut zwanzig Jahre lang hatte die vormalige Königin der Ostsee unter dieser Quasi-Blockade zu leiden. Schließlich fügten sich die einst so stolzen Ratsherrn dem unausweichlichen Schicksal. Als sich Preußen und Russland anschickten, Polen ein zweites Mal zu teilen, stellte sich Danzig am 11.3.1793 unter den Schutz des preußischen Königs.
Aus der selbstständigen Stadtrepublik war nun eine Provinzstadt im Königreich Preußen geworden. Viele Danzi-

ger machten aus ihrer offenen Abneigung gegen den neuen Herrn kein Geheimnis. Es bildete sich innerhalb der Bürgerschaft aber auch ein Preußen gegenüber aufgeschlossener Kreis. Vielen Kaufleuten war bewusst, dass man auf Dauer die realen Machtverhältnisse nicht ignorieren konnte. Danzig musste nun seinen Platz innerhalb der von Nationalstaaten dominierten europäischen Ordnung suchen. Dieser Platz war bei weitem nicht so herausgehoben wie der, den die Stadt innerhalb des alten Polen eingenommen hatte, doch bot das aufstrebende Preußen auch neue wirtschaftliche Möglichkeiten. Danzig erhielt einen Schuldenerlass, neue zollfreie Absatzmärkte und Rechtssicherheit. Rasch füllten sich die Auftragsbücher und die Einwohnerzahl zog wieder deutlich an.

Die Erholung war jedoch nur von kurzer Dauer, denn die Ausläufer der französischen Revolution gelangten 1807 auch an die Weichsel. Nach schwerer Belagerung nahmen die Truppen Napoleons die Stadt ein und der Kaiser der Franzosen erklärte Danzig zur „Freien Stadt“. Die Ratsherren durften sich wieder Senatoren nennen, doch faktisch hatten sie keine Macht, denn alle wichtigen Entscheidungen traf der französische Gouverneur Rapp. Zur Finanzierung der Kriege seines Kaisers presste er die Stadt wie eine Zitrone aus. Nach der Niederlage von Napoleons großer Armee kam es 1813 zur nächsten großen Belagerung, dies-

Einzug der Franzosen in Danzig (1807)

Danzig vom Bischofsberg aus gesehen (1829)

Danziger Rechtstadt im frühen 20. Jh.

Die Danziger Werft am Beginn des 20. Jh.

mal mit vertauschten Rollen. Russen und Preußen bombardierten die Stadt und die Franzosen verteidigten sich fast ein Jahr lang. Als die Besatzer erschöpft kapitulierten, lagen weite Teile Danzigs

in Trümmern, in denen nur noch 15 000 Menschen hausten, weit weniger als im späten Mittelalter.

Beim Wiener Kongress wurde Danzig wieder Preußen zugeschlagen. Es begann die Zeit des Wiederaufbaus und der Modernisierung. Bei der Stadt entstand eine große Werft, man erhielt Eisenbahnanschluss, eine Telegraphenverbindung, ein Elektrizitätswerk, Omnibus und Straßenbahnen, eine Technische Hochschule und vieles mehr. Vor allem unter der Regierung des Oberbürgermeisters Leopold von Winter (1863-1890) wuchs Danzig zu einer modernen Großstadt heran. Die Bevölkerungszahl nahm sprunghaft zu, sodass im späten 19. Jahrhundert die das Wachstum der Stadt hemmenden Festungswälle niedergerissen wurden. 1914 besaß Danzig 190 000 Einwohner.

Die Freie Stadt Danzig

Das Ende des 1. Weltkrieges brachte gewaltige Veränderungen für Danzig mit sich. Bei den Verhandlungen in Versailles stritten Deutschland und Polen um die Zugehörigkeit der Stadt. Polen machte historische Rechte geltend, während von deutscher Seite auf den Willen der Bevölkerung, die zu 95% aus Deutschen bestand, verwiesen wurde. Die Siegermächten [sic] beschlossen einen Kompromiss, nachdem Danzig als freie Stadt unter der Verwaltung des Völkerbundes stehen sollte. Man entwickelte eine äußerst komplizierte und zerbrechliche völkerrechtliche Konstruktion, die in den nachfolgenden Jahren immer wieder zum Gegenstand von Streitigkeiten wurde. Polen errichtete im benachbarten Gdingen eine neue Hafenstadt, was den Seehandel Danzigs stark beeinträchtigte. Die ehemalige Königin der Weichsel befand sich in der Zwischenkriegszeit in einer wirtschaftlichen Dauerkrise. Als in Deutschland 1933 die Nationalsozialisten die Macht ergriffen, erlangte die faschistische Bewegung auch in Danzig die Oberhand. Die Partei Hitlers erhielt im Danziger Senat die absolute Mehrheit und beseitigte danach die Opposition in der Stadt. Danzig wurde zum ‚Bollwerk' des Deutschtums ausgebaut und der Konflikt mit Polen auf die Spitze getrieben.

oben links: Briefmarke der Danziger Post (1937)
oben rechts: Demonstration der Danziger Bevölkerung gegen den Versailler Vertrag (1919)

unten links: Reklametafel der Danziger Allgemeinen Zeitung
links: Briefkasten der polnischen Post, ein ständiges Streitobjekt in der Freien Stadt
unten rechts: Danziger Gulden, die Währung der Freien Stadt

oben links: Adolf Hitler in Danzig (19.9.1939)
oben rechts: Das deutsche Schlachtschiff Schleswig-Holstein beschießt die Westerplatte

Danzig im Zweiten Weltkrieg (1939–1945)

Danzig war zwischen 1919 und 1939 ein beständiges Streitobjekt zwischen Deutschen und Polen gewesen. Die Nationalsozialisten wählten die Stadt bewusst zum Ausgangspunkt ihres großen Eroberungskrieges. Am 1. September 1939 eröffnete das deutsche Kriegsschiff ‚Schleswig-Holstein' das Feuer auf das polnische Munitionslager auf der Westerplatte und leitete damit den 2. Weltkrieg ein. Die heldenhaften polnischen Verteidiger auf der Westerplatte und im polnischen Postamt konnten dem weit überlegenen Feind länger als erwartet widerstehen. Die Stadt wurde nun auch formal wieder in das Deutsche Reich eingegliedert und es begann die Verfolgung der polnischen Minderheit.

Das Denkmal auf der Westerplatte

Die Zerstörung der Stadt 1945

Langer Markt 1945

Mottlau und Grünes Tor 1945

Der in Danzig begonnene Weltkrieg ließ die Stadt lange Zeit in Ruhe, um an seinem Ende umso verheerender dorthin zurückzukehren. Mitte März 1945 schloss die Rote Armee den Kessel um die mit etwa 800 000 Flüchtlingen überfüllte Stadt. Drei Bombenangriffe übersäten Danzig mit Toten. Die zahlenmäßig weit unterlegenen deutschen Verteidiger leisteten erbitterten Widerstand und ermöglichten es einem großen Teil der Flüchtlinge, dem drohenden Inferno über die Ostsee zu entkommen. Schließlich drangen die sowjetischen Soldaten Ende März 1945 in das Stadtzentrum ein, das sie – nach heftigem Häuserkampf – für sich gewannen. Doch damit war das Martyrium Danzigs noch nicht zu Ende. Durch die Kämpfe hatte die Stadt zwar sehr gelitten, sie war aber keineswegs vollständig zerstört. Erst nachdem die Waffen schwiegen, vollendete die Rote Armee das Vernichtungswerk. Als erstes wurden die Häuser zur Plünderung freigegeben und anschließend systematisch in Brand gesteckt oder in die Luft gejagt. Am Ende dieses barbarischen Aktes stand fast kein Stein mehr auf dem anderen. In der Innenstadt waren 90% der Bausubstanz vernichtet. Insgesamt lagen fast 20 000 Häuser in Trümmern. Nur die Ruinen der großen Kirchen und des Rathauses ragten als einsame Mahnmale aus den Schuttbergen der einst so schönen und reichen Metropole empor.

unten links: Schutträumen in der Brotbankengasse 1945
unten rechts: Zerstörte Gewölbe in der Marienkirche

oben links: Vertreibung der Danziger Bevölkerung

oben rechts: Maurer beim Wiederaufbau der Marienkirche um 1947/48
unten links: Blick vom wiederaufgebauten Dach der Marienkirche auf die zerstörte Stadt

unten: Die Marienkirche in der Trümmerlandschaft um 1950

Der Wiederaufbau nach 1945

Als die Waffen schwiegen und sich der Rauch aus den Trümmern verzogen hatte, lebten noch etwa 124 000 Menschen in der Stadt. Sie wurden fast alle zum Verlassen ihrer Heimat gezwungen und mussten Platz machen für die Neusiedler aus Polen. Diese kamen zum großen Teil aus den polnischen Ostgebieten, die die stalinistische Sowjetunion mit dem Segen des Potsdamer Vertrages annektiert hatte.

Da das völlig zerstörte Stadtzentrum unbewohnbar war, fanden die Neuankömmlinge zunächst Unterkunft in den weniger vom Krieg mitgenommenen Vorstädten. Doch was sollte mit dem alten Danzig geschehen? Schon 1947 wurde mit der Wiederherstellung der Marienkirche begonnen und bald darauf fiel der Beschluss, die berühmte Rechtstadt – das Herz des alten Danzig – in historischer Form zu rekonstruieren. Angesichts der ungeheuren materiellen Not der Nachkriegsjahre war der Wiederaufbau Danzigs eine bewundernswürdige Leistung. Wiederaufbauen konnte man allerdings nur die äußere Fassade der Stadt. Das Innere der Bürger- und Kaufmannshäuser mit seiner reichen Ausstattung und individuellen Geschichte ist dagegen unwiederbringlich verloren gegangen.

oben links: Solidarność-Denkmal
oben rechts: Werfttor heute
unten rechts: Lech Wałęsa am Werfttor beim Streik 1980

Stadt der Solidarität (Solidarność)

Hafen und Werft bildeten nach 1945 das wirtschaftliche Rückgrat des neuen polnischen Gdańsk in der kommunistisch regierten Volkrepublik Polen. In der Danziger Leninwerft waren bis zu 17 000 Arbeiter beschäftigt und erstellten fast die Hälfte der gesamten polnischen Schiffsproduktion. Auch wenn es sich bei dem Namenspatron der Werft um den Gründer des kommunistischen Sowjetreichs handelte, so hatten die polnischen Arbeiter wenig mit dem realen Sozialismus im Sinn. Die Werft mit Lenins Namen wurde vielmehr zum Totengräber des kommunistischen Systems. Ein erster Arbeiteraufstand wurde im Dezember 1970 blutig niedergeschlagen. Im Sommer 1980 begehrten die Arbeiter der Leninwerft ein weiteres Mal auf. Sie zwangen unter der Führung von Lech Wałęsa durch Streiks die Regierung zum Abschluss eines Abkommens und gründeten die Solidarność. Erstmalig in der Geschichte musste ein kommunistischer Staat unabhängige Gewerkschaften anerkennen. Zwar schuf sich das alte Regime durch das am 13. Dezember 1981 ausgerufene Kriegsrecht eine letzte Gnadenfrist, der Untergang des Kommunismus war jedoch nur noch eine Frage der Zeit. Durch ihren Mut schlugen die Danziger Werftarbeiter ein gewaltiges Loch in die tönernen Füße der kommunistischen Weltordnung. Wenige Jahre später brach dieses System in sich zusammen – Danzig hatte Weltgeschichte geschrieben.

Solidarność-Souvenir

Marienkirche von Süden

oben links: Die Marienkirche im Häusermeer vor 1945
oben rechts: Schustertor

Rundgang

Marienkirche

St. Marien in Danzig ist die größte aus Backstein errichtete Kirche des europäischen Mittelalters. Sie erhebt sich als gigantischer Koloss über den Bürgerhäusern der Stadt. Die Silhouette wird dominiert vom großen Westturm sowie von den acht kleinen Ecktürmchen und dem Dachreiter mit ihren spitz in den Himmel schießenden Dächlein. Die Außenwände von Turm und Kirchenschiff sind weitgehend schmucklos. Da die Marienkirche schon im Mittelalter dicht von Häusern umbaut war, konnte man die unteren Bereiche der Außenwände kaum sehen. Aus diesem Grund ließen die Baumeister die Wände in diesem Bereich ungegliedert. Nur die sieben Portale und die über den Häusern aufragenden Giebel präsentieren sich in reichen spätgotischen Formen.

Die Marienkirche beeindruckt nicht nur durch ihre Ausmaße, sondern auch durch den Reichtum ihrer Ausstattung

unten links: Das Kircheninnere ist mit reicher Ausstattung versehen.

unten rechts: Grundriss der Marienkirche

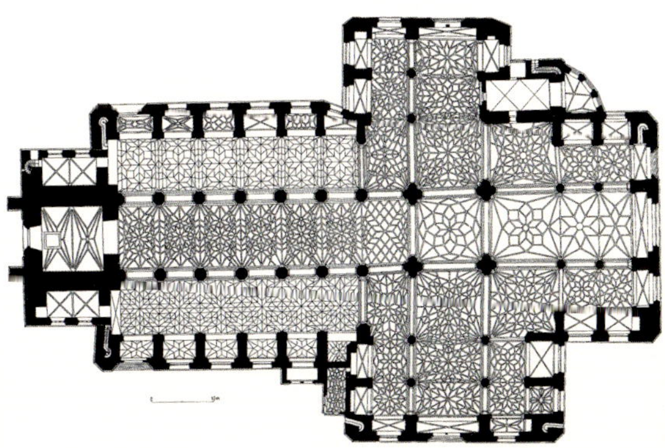

an Altären, Kapellen und kunsthandwerklichen Schätzen. Trotz der gewaltigen Dimensionen war die Marienkirche nur eine einfache Pfarrkirche, jedoch die Pfarrkirche einer der reichsten Städte im Norden Europas. Errichtet zwischen 1343 und 1502 ist St. Marien ein Spiegel der Macht, Größe und Frömmigkeit der Danziger Bürger dieser Zeit. Für Bau und Ausstattung ihrer Kirche stifteten die Einwohner der Stadt ungeheure Geldmengen aus ihren Privatvermögen. Auch in nachmittelalterlicher Zeit stattete die Bürgerschaft die Kirche mit zahlreichen bedeutenden Denkmälern aus. Glücklicherweise konnte der größte Teil der Kunstschätze von St. Marien vor der Zerstörung 1945 gerettet und nach dem Krieg wieder in das Gotteshaus zurückgeführt werden. So präsentiert sich die Marienkirche auch heute noch dem Besucher als ein einzigartiges Monument aus der Zeit des späten Mittelalters.

Der Besucher wird beim Betreten des Inneren der Marienkirche vom Eindruck des gigantischen Raumvolumens überwältigt. Er durchschreitet einen Wald von 28 achteckigen Pfeilern, die in 27 m Höhe einen vielgestaltigen Himmel aus feingliedrigen Stern- und Zellengewölben tragen. Diese filigranen Gewölbe stammen von Meister Heinrich Hetzel, der mit diesem Werk 1498–1502 den Bau von St. Marien vollendete.

An allen Außenseiten der Kirche öffnen sich Kapellen, die die gleiche Höhe wie das Kirchenschiff haben und dadurch steile Raumschächte bilden.

links: Marienkirche, Säulenwald in der Vierung

rechts: Marienkirche, Blick in das Langhaus nach Westen

Marienkirche, Hauptaltar, Festtagsseite (oben) und Außenflügel (unten)

Diese Privatkapellen befanden sich im Besitz von Zünften, Brüderschaften oder vornehmen Danziger Familien und wurden mit wertvollen Altären und Gestühlen ausgestattet. Trotz zahlreicher Kriegsverluste hat sich bis heute noch ein großer Teil der alten Kunstwerke erhalten. Keine europäische Kirche besitzt mehr gotischer Altäre als St. Marien in Danzig.

Der Hauptaltar

Im Chor steht der riesige, golden glänzende Hauptaltar, geschaffen zwischen 1510 und 1517 durch Meister Michel von Augsburg. Der Altar bietet dem Betrachter ein außergewöhnlich kolossales Bildprogramm, das auf mehrere geschnitzte und bemalte Flügel verteilt ist. Die Festtagsseite zeigt im Zentrum eine Marienkrönung. In den Seitenflügeln befinden sich 144 Konsolen, auf denen bis 1944 Heiligenfiguren standen (heute nur noch elf erhalten). Die übrigen Flügel sind mit Szenen aus dem Marien- und Christus-Leben versehen. Bei der Figurendarstellung und der dekorativen Umrahmung dominieren Elemente der letzten gotischen Stilphase, doch zeigen sich auch schon erste Ansätze von Renaissancemotiven. Meister Michel trat später zum Protestantismus über und war an den Danziger Unruhen von 1525 beteiligt. Er wäre deswegen fast zum Tode verurteilt worden. Der Ruhm, den er durch seine Kunstfertigkeit erlangt hatte, ermöglichte es ihm jedoch, einen Gnadenerlass beim polnischen König zu erwirken. So rettete die Kunst ihm den Kopf, während seine weniger begabten Mitstreiter hingerichtet wurden.

Das berühmteste Meisterwerk der Marienkirche war das 1471 vollendete Altargemälde des jüngsten Gerichts von Hans Memling. In der Reinhold-kapelle (seitlich des Turms) hängt heute eine Kopie, denn das Original befindet sich z. Z. im Danziger Nationalmuseum (Franziskanerkloster).

Astronomische Uhr

Ein herausragendes Ausstattungsstück ist die astronomische Uhr. Das Werk wurde 1464–70 von dem Uhrmachermeister Hans Düringer geschaffen und besteht aus drei Hauptelementen: dem Kalendarium (unten), dem Planetarium und Zifferblatt (Mitte) sowie dem Figurentheater (oben). Im Zentrum des Kalendariums befindet sich eine Scheibe mit 2,7 m Durchmesser, auf der alle Tage und Monate des Jahres, sämtliche Festtage, Mond- und Sonnenaufgänge sowie andere astronomische Zyklen abzulesen sind. Das Zifferblatt zeigt 24 Stunden an und kommt daher mit einem Zeiger aus. Der zweite Zeiger deutet auf das gerade aktuelle Sternzeichen. Im Figurentheater treten jeden Mittag Apostel, der Tod, die vier Evangelisten sowie die drei heiligen Könige auf. Darüber stehen Adam und Eva vor dem Baum der Erkenntnis und schlagen die Stunden an.

oben links: Astronomische Uhr
oben rechts: Zeigerfigur am Kalendarium

unten links: Adriansaltar
unten rechts: Spätgotischer Tabernakel vor dem Hauptaltar

S. 23: Rathaus von der Langgasse aus gesehen

Frauengasse

Frauengasse

Auf der Ostseite der Marienkirche gelangt man zur Frauengasse, der berühmtesten Straße Danzigs. Sie führt vom Chorportal bis zum Frauentor am Mottlauufer und wird an beiden Seiten von hoch aufragenden und dicht gestellten Häusern mit Beischlägen gesäumt. Hier kann der Besucher einen Eindruck vom Straßencharakter des alten Danzigs gewinnen. Erst auf den zweiten Blick erkennt man, dass die Häuser nach den fürchterlichen Kriegszerstörungen neu errichtet wurden. Weitgehend original erhalten sind dagegen die Beischläge mit ihren Terrassen und Kellerzugängen, in denen sich heute eine Bernsteingalerie an die andere reiht.

Beischläge in der Frauengasse

oben: Rathaus am Beginn des 19. Jh. (Gemälde von Gregorovius)

unten: Rathaus, Barockportal

Das rechtstädtische Rathaus

Stolz und Selbstbewusstsein der Bürgerschaft fanden im Bau des Rathauses ihren besonderen Ausdruck. Das mittelalterliche Rathaus war ein multifunktionales Gebilde. Es diente nicht nur dem städtischen Rat und dem Bürgermeister als Beratungs- und Repräsentationsort, sondern war gleichzeitig auch Gerichtssitz sowie Kauf- und Tanzhaus. Hier konzentrierte sich das öffentliche, wirtschaftliche und gesellschaftliche Leben einer Stadt. Das Rathaus der Danziger Rechtstadt am Ende des Langen Marktes ist ein hervorragendes Beispiel für diesen Bautyp.

Ein erstes Rathaus für die deutsche Kaufmannsstadt entstand spätestens 1298. Mit dem Wachstum der Rechtstadt im 14. und 15. Jh. wurde auch das Rathaus in mehreren Etappen vergrößert. Zwischen 1379 und 1382 fanden Baumaßnahmen statt, die unter der Leitung von Heinrich Ungeradin standen, der gleichzeitig auch als Baumeister die Erweiterung der Marienkirche leitete. Nachdem die Stadt 1454 durch die Loslösung vom Deutschen Orden ihre politische und wirtschaftliche Unabhängigkeit vergrößert hatte, fand dies auch in der Architektur des Rathauses seinen Widerhall. Die Ostfassade wurde mit einem hohen Schildgiebel bekrönt und bis 1486 der Turm beträchtlich erhöht. Nach einem Brand 1556 erhielt der Rathausturm einen prächtigen Renaissancehelm auf dessen Spitze eine lebensgroße vergoldete Figur von König Sigismund II. August als Wetterfahne steht. Nach einem weiteren Brand erweiterte man 1585–96 das Rathaus und schuf eine neue Innenausstattung.

Rathaus, Sommerratsstube

In dieser Zeit entstand der als Sommerratsstube dienende ‚Rote Saal', einer der bedeutendsten europäischen Innenräume der Spätrenaissance. An seiner Entstehung waren mehrere herausragende niederländische Künstler beteiligt, allen voran Hans Vredemann de Vries. Besondere Aufmerksamkeit verdient die 1608 geschaffene Decke mit 25 allegorischen Gemälden. In der Mitte sieht man ein Oval mit der Darstellung der Apotheose Danzigs, eine äußerst komplizierte Allegorie, in der die Stadt in ihrer Verbindung zur Welt und dem Königreich Polen gezeigt wird. Die übrigen Gemälde an den Decken und Wänden haben ebenfalls vielfältige sinnbildliche Bedeutungen, die die in dem Saal tagenden Ratsherren an eine gute und weise, gerechte und gottesfürchtige Amtsführung ermahnen sollten. Weitere künstlerische Glanzstü-

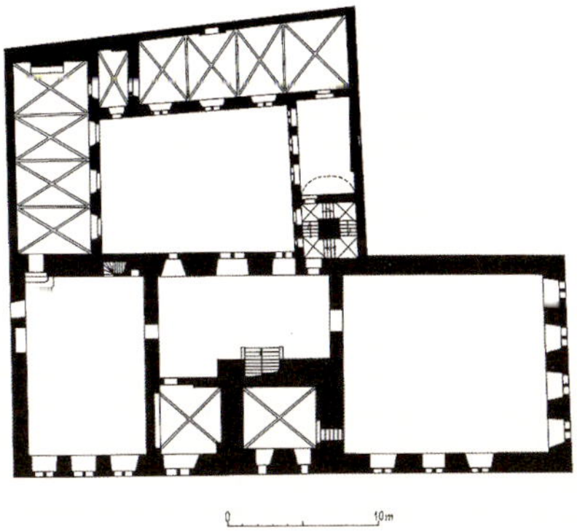

unten links: Grundriss
unten rechts: Deckenbild: Apotheose Danzigs

Rechtsstädtisches Rathaus
ul. Dluga 47
Di 10–15 Uhr,
Mi–Fr 12–18 Uhr,
Sa 10–16 Uhr,
So 11–16 Uhr

cke der Sommerratsstube sind der prunkvolle Kamin von 1593 mit dem großen Danziger Wappen in der Mitte sowie die vielen Holzelemente mit vollendeten Intarsienarbeiten.

Artushof

Eine besondere gesellschaftliche Einrichtung bildete der Artushof. Es war der Treffpunkt der städtischen Eliten, die sich hier zu geselligen Versammlungen einfanden. Als Patron für ihre Zusammenkünfte wählte sich die vornehme städtische Gesellschaft den legendären König Artus. In den Schriftquellen taucht der Artushof in Danzig erstmals 1350 auf. Nachdem der alte Hof 1476 durch einen Brand zerstört worden war, errichtete die Stadt 1477–81 den bis heute bestehenden Neubau (die Fassade 1552 nochmals umgestaltet). Sein Zentrum bildet der von neun Sterngewölben überspannte große Saal. Die vier schlanken Pfeiler in der Saalmitte stammen vermutlich aus der von den Bürgern zerstörten Danziger Ordensburg.

oben: Artushof, Hauptfassade
links: Renaissanceaufbau der Fassade
unten: Grundriss

Die Kaufleute waren in verschiedenen Bruderschaften zusammengeschlossen, die über eigene Bänke in dem ihnen zugewiesenen Teil des großen Saales verfügten. Jede Bruderschaft stattete ihren Bereich im Artushof mit wertvollen Einrichtungsgegenständen aus. Hierzu gehörten Gemälde, Skulpturen und Schiffmodelle. Das spektakulärste Ausstattungsstück ist der 1545/46 geschaffene 12 m hohe Kachelofen, der größte in Europa, dessen Schmuckkacheln Portraits und Allegorien zeigen. Nach schweren Kriegszerstörungen 1945 wurde der Artushof mit einem großen Teil seiner Kunstschätze als einzigartiges Denkmal der bürgerlichen Lebenskultur wiederhergestellt.

oben: Artushof, Innenansicht vor 1940 (links) und heute (rechts)

links: Kachelofen

Artushof
ul. Dlugi Targ 43/44
Di 10–15 Uhr, Mi–Fr 12–18 Uhr,
Sa 10–16 Uhr, So 11–16 Uhr

Georgenhof

Die älteste und vornehmste Vereinigung Danziger Kaufherren war die Georgen-Bruderschaft. Sie trennte sich im ausgehenden 15. Jh. von den übrigen Bruderschaften im Artushof und errichtete 1487–94 einen eigenen Hof. Dieser elegante Bau in spätgotischen Formen befindet sich neben dem Langgasser Tor.

Langer Markt und Langgasse

Die vornehmsten und wohlhabendsten Kaufleute errichteten ihre prächtigen Häuser entlang des Langen Marktes und der Langgasse. Dieser Straßenzug bildet die wichtigste Ost-West-Achse der Rechtstadt und führt vom Grünen Tor an der Mottlau bis zum Langgaser Tor. Der Einzug der polnischen Könige in die Stadt fand in dieser Prachtstraße statt, weshalb man heute auch vom Königsweg spricht.
Anstelle des mittelalterlichen Haupttors an der Mottlauseite entstand 1564–69 das Grüne Tor

oben: Georgenhof

unten: Blick nach Westen in die Langgasse

als eines der herausragenden Werke des Danziger Manierismus. Errichtet aus holländischen Backsteinen und außen grün angemalt gehörte es zu den exklusivsten Bauten der Stadt. Der große Saal im Obergeschoss war für die Unterkunft der polnischen Könige vorgesehen, wurde aber von diesen nicht genutzt und stattdessen als Theater- und Festsaal verwendet.

Grünes Tor
ul. Dlugi Targ 24
Mo–Fr 10–16 Uhr, Sa–So 10–17 Uhr

oben: Grünes Tor von der Mottlauseite

unten: Die Langgasse im frühen 17. Jh.

Das prächtigste Patrizierhaus am Langen Markt ist das 1609–18 durch den Bürgermeister Johann Speymann errichtete Goldene Haus. Der Bau wird an der Hauptfassade ganz mit vergoldeten allegorischen Darstellungen überzogen. Sie demonstrieren gleichzeitig Reichtum und Bildung ihres Erbauers.

Der Neptunsbrunnen erhebt sich als ein Wahrzeichen Danzigs am Westende des Langen Marktes. Die 1633 gegossene Neptunsfigur symbolisiert die segensreiche Verbindung der Stadt mit dem Meer.

oben:
Goldenes Haus

rechts:
Neptunsbrunnen

Uphagenhaus

Um einen Eindruck vom Innenleben eines alten Danziger Bürgerhauses zu erhalten, sollte man unbedingt das Uphagenhaus besuchen. Das Grundstück wurde 1775 vom Danziger Kaufmann und Gelehrten Johann Uphagen erworben, der an der Stelle des mittelalterlichen Vorgängerbaus ein neues Haus errichten ließ. Der 1787 vollendete und nach der Kriegszerstörung 1945 rekonstruierte Bau zeigt eine Fassade mit Dekorelementen aus der Übergangszeit vom Rokoko zum Klassizismus. 1909 erfolgte die Umwandlung des Uphagenhauses in ein Museum für die bürgerliche Wohnkultur Danzigs. Vor der Vernichtung der Stadt im zweiten Weltkrieg wurde der Bau genau inventarisiert und der größte Teil der Innenausstattung ausgelagert. Dies ermöglichte die originalgetreu Wiederherstellung des Inneren. Der Besucher kann in den schmalen und langgezogenen Räumen mit ihren historischen Vertäfelungen, Tapeten und Kachelöfen eine Ahnung vom Reichtum und der Pracht des alten Danziger Bürger-

oben: Uphagenhaus, Speisezimmer vor 1938
unten: Uphagenhaus, Portal, Flur im 1. Obergeschoss und Salon

Museum Uphagenhaus
ul. Długa 12
Di 10–15 Uhr,
Mi–Fr 12–18 Uhr,
Sa 10–16Uhr,
So 11–16 Uhr

Beischläge

Ein charakteristisches Element des Danziger Bürgerhauses war der Beischlag. Dabei handelt es sich um einen terrassenartigen Vorbau zwischen der Straße und der Hauptfassade des Hauses. Von der Straße führt eine Treppe nach unten in den Keller und eine breite Treppe nach oben auf die Terrasse, die zur Straße hin eine mit Reliefs verzierte Brüstung besitzt. Aufsehen erregend sind hier vor allem die phantasievoll gestalteten Wasserspeier. Über die Terrasse gelangt man zum Haupteingang des Hauses. Als im 19. Jahrhundert aufgrund des steigenden Verkehrsaufkommens eine Verbreiterung der Straßen notwendig erschien, wurden die meisten der Danziger Beischläge abgerissen. Nur in den von den Touristen meistbesuchten Straßen (so in der Frauengasse und am Langen Markt) blieben sie bestehen. Auch nach den Zerstörungen von 1945 wurden diese reizvollen Vorbauten dort wiederhergestellt.

oben: Beischläge in der Jopengasse

Mitte: Beischläge, Darstellung 17. Jh.

unten links: Überdachte Beischläge in der Altstadt, Darstellung von Gregorovius 1843

unten rechts: Beischlagplatte aus dem 15. Jh.

S. 33: Krantor Südseite

CENTRALNE
MUZEUM
MORSKIE
W
GDANSKU

oben: Das Hohe Tor

S. 35: Der Stockturm

unten: Stadtmauer am Holzmarkt

Tore und Türme der Stadtbefestigung

Danzig erhielt im 14. Jahrhundert eine steinerne Befestigung, die in den nachfolgenden Epochen immer mehr verstärkt wurde und die Stadt lange Zeit zu einer uneinnehmbaren Festung machten. Die mächtigen neuzeitlichen Wälle und Bastionen mussten im ausgehenden 19. Jahrhundert dem Platzbedarf der wachsenden Stadt weichen. Von den mittelalterlichen Mauern, Toren und Türmen haben sich dagegen noch große Teile erhalten.

Den Westzugang der Stadt bildete ein Komplex aus mehreren Toren unterschiedlicher Epochen. Unter diesen ragt der sechsgeschossige Stockturm aus der Spätgotik heraus, der lange als Gefängnis diente. Er war verbunden mit dem niedrigen Bau der ‚Peinkammer', wo die ‚peinlichen Verhöre' stattfanden, bei denen auch Foltermethoden eingesetzt werden konnten. Die Gefängniszellen aus der frühen Neuzeit haben sich dort noch im originalen Zustand erhalten und können beim Besuch des Bernsteinmuseums besichtigt werden. Das 2006 eröffnete neue Museum hat seine Räume in den Geschossen des Stockturms. Sehenswert ist vor allem die naturwissenschaftliche Präsentation über die Entstehung und Verbreitung des Bernsteins.

Żuraw
Bazylika N.M.P.
St Mary's Church
GDAŃSK

Stockturm und Peinkammer lagen vor dem eigentlichen Stadttor, das in die Langgasse führt. Der mittelalterliche Bau des Langgasser Tores wurde 1610–14 durch das neue ,Goldene Tor' ersetzt (Entwurf Abraham van den Blocke), das von acht allegorischen Figuren bekrönt wird. Diese verkörpern sowohl die für eine gerechte Herrschaft notwendigen Eigenschaften (Besonnenheit, Frömmigkeit, Gerechtigkeit, Eintracht) als auch die Ergebnisse eines guten Regiments (Friede, Freiheit, Wohlstand, Ruhm).

Die meisten mittelalterlichen Stadttore haben sich an der Hafenseite zur Mottlau hin erhalten. Unter ihnen ragt als eines der Wahrzeichen Danzigs das 1442–44 errichtete Krantor hervor. Zwei halbrunde Türme flankieren die Durchfahrt in der Mitte, über der sich eine mächtige hölzerne Konstruktion erhebt. Dort sind zwei Kräne installiert, die von großen Laufrädern bewegt wurden. Mit ihnen konnte man die Schiffe be- und entladen sowie Segelmasten bis zu einer Höhe von 27 m errichten. Der alte Kran stellte seinen

S. 36:
oben: Langgasser Tor („Goldenes Tor"), Stadtseite
unten links: Krantor
unten rechts: Brotbäckertor

Bernsteinmuseum im Stockturm
Di 10-15 Uhr, Mi-Fr 12-18 Uhr, Sa 10-16Uhr, So 11-16 Uhr

oben links: Kik en de Kök
oben rechts: Großes Zeughaus

Betrieb 1858 ein und dient seitdem als touristische Sehenswürdigkeit. Der 1945 zerstörte hölzerne Mechanismus wurde rekonstruiert und kann über das Zentrale Meeresmuseum besichtigt werden.

Weitere gut erhaltene mittelalterliche Tore und Türme sind das Brotbäcker-, Frauen- und Johannistor an der Mottlauseite sowie der achteckige „Kik en de Kök" im Nordwesten der Stadt (gegenüber der Markthalle).

Im Zusammenhang mit der Befestigung steht das Große Zeughaus an der westlichen Stadtseite. Errichtet 1600–1609 im Stil des niederländischen Manierismus diente es zur Aufbewahrung und Präsentation des städtischen Waffenarsenals. Die Dekoration des Außenbaus zeigt daher auch zahlreiche Militär- und Kriegssymbole.

Im 16. Jh. begann man, das mittelalterliche Danzig weiträumig mit einem modernen Befestigungsring zu umgeben, der aus hohen Wällen und 20 Bastionen bestand. Aus der Luft betrachtet, hatte diese Befestigung einen halbkreisförmigen Grundriss mit vielen spitzen Zacken. Im Süden haben sich noch einige Wälle und Gräben dieses Verteidigungssystems erhalten.

Wall und Graben im Süden der Stadt

St. Johannis, Ansicht vom Turm der Marienkirche aus gesehen (oben), Westturm (unten links), Grundriss (unten Mitte) und Sterngewölbe vor 1945 (unten rechts)

St. Johannis

Der nördliche Teil der Rechtstadt erhielt vor 1358 mit St. Johannis eine eigene Kirche, die zunächst Filiale von St. Katharinen war. Ab dem späten 14. Jh. errichtete man eine große Hallenkirche mit Querhaus und gerade geschlossenem Chor. Der Westturm reichte 1453 nur bis zur Höhe des Kirchenschiffs. Als die Gemeinde den Turm erhöhen wollte, verbot dies der Deutsche Orden, da er darin eine Bedrohung seiner nahe gelegenen Burg sah. Doch schon 1454 vertrieben die Bürger den Orden als Stadtherrn und konnten den Turm vollenden. Den Abschluss der Bauarbeiten bildeten die 1463–65 eingezogenen Gewölbe. Die bis dahin üblichen einfachen Sterngewölbe (vgl. Nikolaikirche) wurden variiert und verfeinert. Sie bildeten den Ausgangspunkt für eine neue Entwicklung der Gewölbekonstruktionen, die in der Marienkirche ihren Höhepunkt finden sollte. Wegen des schlechten Baugrunds sind viele Pfeiler stark aus dem Lot geraten und die schief stehende Chorwand musste im 17. Jh. durch mächtige Strebepfeiler zusätzlich gesichert werden. Die Kirche wurde 1945 schwer beschädigt, ihre Wiederherstellung ist noch nicht abgeschlossen.

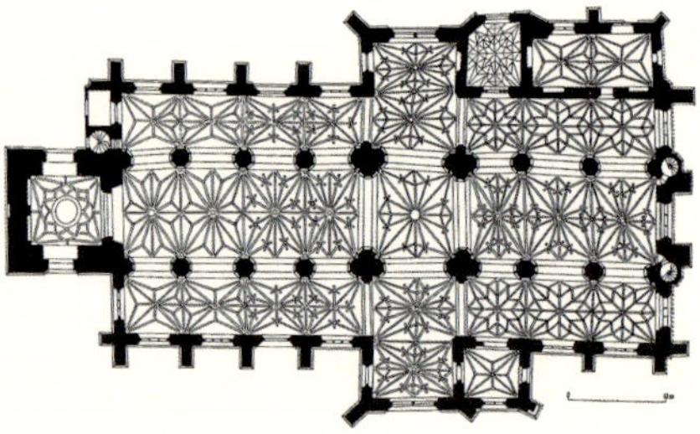

St. Nikolai, Innenansicht nach Osten (oben links), Ansicht von Südosten (oben rechts), Grundriss (unten)

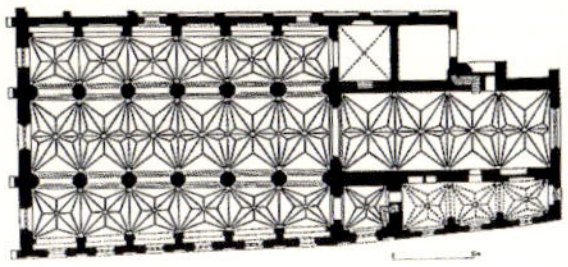

St. Nikolai

St. Nikolai ist die älteste Kirche Danzigs. Der erste Bau aus dem späten 12. Jh. befand sich an der Stelle der heutigen Markthalle (errichtet 1894–96), wo die Fundamente des ersten Gotteshauses im Keller besichtigt werden können. 1227 übernahmen die Dominikaner die Kirche und errichteten im 14. Jahrhundert südlich des alten Standorts eine neue Hallenkirche aus Backstein mit den damals üblichen preußischen Sterngewölben. Auch nach der Reformation blieben die Dominikaner im Besitz der Nikolaikirche, die eine katholische Enklave innerhalb der protestantischen Stadt bildete. Aus dieser Zeit stammt auch die reiche barocke Ausstattung der Kirche. Als einziges Danziger Gotteshaus blieb St. Nikolai 1945 unzerstört und ist daher im Inneren noch angefüllt mit zahlreichen barocken Altären. Imposant wirkt der bis zur Decke reichende goldene Hochaltar aus der Mitte des 17. Jh. Auch die originale Dachkonstruktion aus dem 14. Jh. hat sich noch vollständig erhalten.

St. Katharinen

Die Katharinenkirche in der Altstadt war in der Frühzeit Danzigs die Haupt-

St. Katharinen

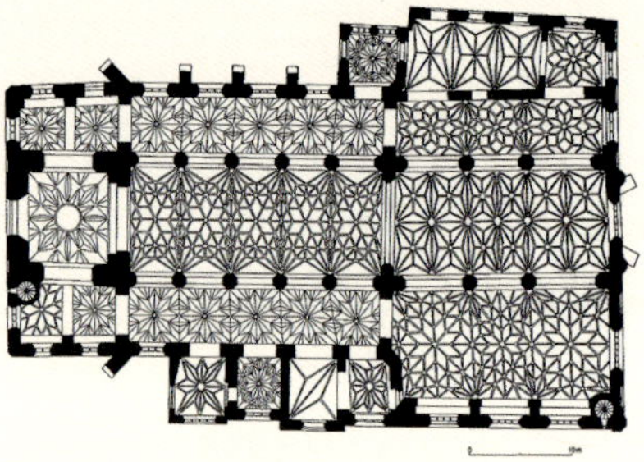

St. Katharinen, Innenansicht (oben) und Grundriss (rechts)

sodass die Katharinenkirche nach St. Marien die wertvollste Inneneinrichtung der Danziger Kirchen besitzt. Das nach dem Krieg errichtete Notdach brannte im Mai 2006 ab, glücklicherweise erlitt das Kircheninnere dabei nur geringe Schäden.

pfarrkirche der Stadt. Ein erster Bau wurde schon im frühen 13. Jh. errichtet, danach folgten bis ins 16. Jh. zahlreiche neue Bauetappen. Besonders reizvoll erscheint der dreigliedrige Ostteil der Kirche, wo man den alten Chor durch zwei seitliche Chöre ergänzte. Dabei entstand die merkwürdige Situation, dass der Chorbereich von St. Katharinen wesentlich breiter als das Kirchenschiff ist. Im Inneren findet man eine bunte Mischung verschiedenster Stern- und Netzgewölbe. Der größte Teil der reichen Ausstattung konnte vor den Kriegszerstörungen gesichert werden,

Brigittenkirche

Östlich neben St. Katharinen liegt das ehemalige Brigittenkloster. Das 1394 gegründete Doppelkloster erhielt seine endgültige architektonische Gestalt im frühen 16. Jh. Nach den schweren Kriegszerstörungen 1945 wurde die Kirche in der Art eines Rohbaus wiederhergestellt. Weltberühmt wurde St. Brigitten in den 1980er Jahren als ein Zentrum der Solidarność-Bewegung. Heute gleicht das Kircheninnere einem Museum der Solidarität und des polnischen Patriotismus.

Brigittenkirche, Ostfassade (rechts) und Ausstellung zur Geschichte der Solidarność (unten)

Altstädtisches Rathaus

Die Danziger Altstadt erhielt erst 1382 ein eigenes Stadtrecht. Das damals errichtete mittelalterliche Rathaus wurde 1587–95 durch einen Neubau nach dem Entwurf von Antoni van Obbergen ersetzt. Das Backsteingebäude im Stil des niederländischen Manierismus hat den Weltkrieg unversehrt überstanden. Sehenswert ist auch das Innere mit einer Diele und anderen Ausstattungselementen, die aus einem Danziger Bürgerhaus des 17. Jh. hierhin übertragen wurden.

Große Mühle

Um die Mitte des 14. Jh. errichtete der Deutsche Orden die Große Mühle in der Altstadt, die auf einer Insel im Radaunekanal steht. Der über 40 m lange Bau besaß 18 Schaufelräder und war die größte mittelalterliche Getreidemühle Europas. Dieses herausragende Denkmal der Wirtschaftsgeschichte blieb bis 1945 in Betrieb. Bei der Zerstörung der Stadt brannte die Große Mühle vollständig aus. Vom mittelalterlichen Bau ist nur noch die äußere Hülle erhalten, in deren Inneren sich heute ein modernes Einkaufszentrum befindet.

oben: Altstädtisches Rathaus

unten: Große Mühle, Abbildung von 1645 und von heute

St. Peter und Paul, Turm

Die Neustadt: St. Peter und Paul

Südlich der Rechtstadt gründete der Deutsche Orden 1380 eine Neustadt (die alte Vorstadt), in der überwiegend Handwerker und Krämer wohnten. Diese Stadt erhielt eine eigene Pfarrei mit der Kirche St. Peter und Paul, einem spätgotischen Hallenbau aus dem 15. Jh. Am Beginn des 16. Jh. wurde das Kirchenschiff noch einmal erhöht. Aus dieser Zeit stammen auch die reichen Sterngewölben, die auf den für die Danziger Kirchen typischen schmucklosen Achteckpfeilern sitzen.

Franziskanerklosterkirche St. Trinitatis und St. Annen, Innenraum mit Lettner (unten) und Grundriss (rechts)

Franziskanerkloster

Im Westen der Neustadt befindet sich das 1419 gegründete Franziskanerkloster. Die Klosterkirche St. Trinitatis (errichtet 1431–1514) ist ein mächtiger und blockhaft wirkender Hallenbau mit Seitenkapellen und einem langgestreckten Rechteckchor. Beim Außenbau fällt der filigrane Giebelschmuck an der Westfassade ins Auge. Der Westseite angefügt ist die zierlich wirkende St. Annenkapelle, die 1480–84 für den Gottesdienst der polnischen Bewohner dieses Stadtteils errichtet wurde. Das Innere beider Bauten beeindruckt den Besucher durch zahlreiche Varianten an Stern- und Netzgewölben. Das Kloster wurde infolge der Reformation 1556 aufgehoben und beherbergte seitdem bis ins 19. Jh. das akademische Gymnasium. Die Kirche gehört seit 1945 wieder den Franziskanern.

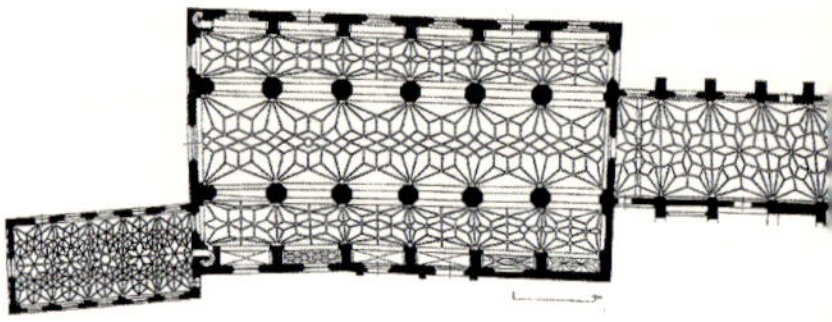

Nationalmuseum

In den Räumen des Franziskanerklosters wurde 1872 das städtische Museum eingerichtet (nach 1945 Nationalmuseum). Gezeigt werden Werke der Malerei, Skulptur und Kunsthandwerk vom Mittelalter bis zur Neuzeit. Das Museum gewinnt einen besonderen Reiz durch seine Ausstellungsräume. Die spätgotischen Klausurbauten und der Kreuzgang imponieren vor allem durch ihre variantenreichen Stern-, Zellen- und Netzgewölbe.

Das prominenteste Kunstwerk im Nationalmuseum ist das Jüngste Gericht

von Hans Memling. Das 1471 vollendete Altargemälde erbeuteten die Danziger 1473 im Kaperkrieg der Hanse gegen England. Das Gemälde offenbart uns mit der Schilderung der Jenseitsvorstellung des ausgehenden Mittelalters ein zentrales Element des damaligen Weltverständnisses. Der Glanz der Farben, die feinsinnige Detailliebe und die spannungsreiche Drastik der Erzählung zie-

oben: Franziskanerklosterkirche St. Trinitatis und St. Annen, Ansicht

unten: Nationalmuseum, Eingangshalle

unten: Nationalmuseum, Jüngstes Gericht von Hans Memling, 1471

Westseite der Speicherinsel am Beginn des 17. Jh.

Kriegszerstörte Speicherhäuser

Wiederaufgebaute Speicherbauten (heute Meeresmuseum)

hen seit dem späten Mittelalter die Betrachter in ihren Bann. Das Triptychon zeigt die vier Hauptszenen des jüngsten Gerichts. Im unteren Teil sehen wir das dramatische Geschehen der Auferstehung. Die Menschen kriechen aus ihren Gräbern und müssen Rechenschaft über ihr Leben geben. Die große Gestalt des Erzengel Michael wägt die Seelen. Die Verdammten werden von grauenhaften Teufelsgestalten nach rechts zur Hölle hin gezerrt. Die erlösten Menschen ziehen dagegen, von Engeln begleitet, nach links ins Paradies ein. Über dem Erzengel thront Christus als Weltenrichter, umringt von den 12 Aposteln sowie Maria und Johannes.

Nationalmuseum
ul. Toruńska 1
Di–Fr 9–16 Uhr, Sa–So 10–16 Uhr

Hafen und Speicherinsel

Der historische Hafen Danzigs lag an der Ostseite der Rechtstadt, wo die Mottlau, ein Nebenfluss der Weichsel, vorbeifließt. Hier standen jahrhundertelang Handelsschiffe aus ganz Europa Schlange, um be- und entladen zu werden. Symbol für die Geschäftigkeit ist bis heute das Krantor. Auf der gegenüberliegenden Mottlauseite entstand eine eigene Speicherstadt, in der die gewaltigen Warenmengen gelagert wurden. In den Glanzzeiten Danzigs befanden sich in der Umgebung der Speicherinsel bis zu 300 Magazinhäuser. Das Gelände wurde 1945 schwer beschädigt. Der der Rechtstadt gegenüberliegende Nordteil der Insel ist noch immer eine Trümmerlandschaft und erinnert den Besucher an das traurige Schicksal, das die Stadt letzten Krieg ereilte.
Im späten 18. Jh. wurde vor der Weichselmündung ein neuer Hafen angelegt

(Neufahrwasser), den auch Schiffe mit größerem Tiefgang anlaufen konnten. Hier findet auch heute noch der eigentliche Schiffsverkehr statt, während auf der Mottlau nur noch Touristendampfer und Yachten verkehren.

Weichselmünde

Zur Sicherung der Weichselmündung war schon im späten Mittelalter eine Zollstation errichtet worden, die auch die Funktion eines Leuchtturms hatte. Im 16. und 17. Jh. baute man an dieser Stelle ein modernes Befestigungswerk, deren vier von Wasser umgebene Bastionen noch vollständig erhalten sind. In der Mitte der Festung Weichselmünde erhebt sich ein Rundturm, umgeben von 15 im Kreis angeordneten Häusern, die als Kasernen dienten.

Blick auf die Altstadt mit dem Hafen im Hintergrund

unten: Weichselmünde im 17. Jh. und heute

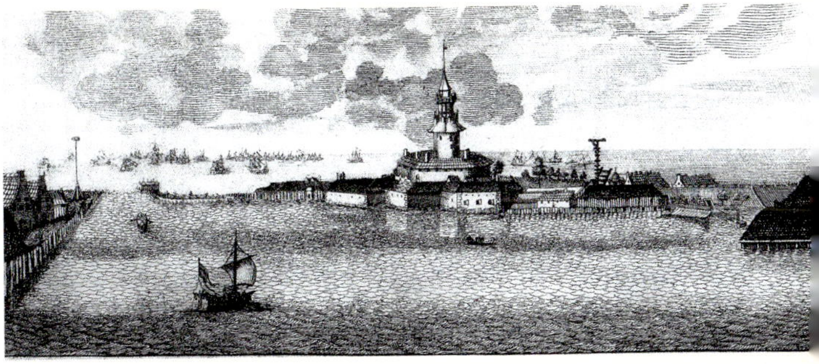

Oliva, Zisterzienserkloster
oben: Fürst Subsilaus stiftet das Kloster (Gemälde aus dem 17. Jh.)
unten: Chor der Klosterkirche von Süden
oben rechts: Grundriss
Seite 47: Westfassade

Oliva

Etwa 10 km nordwestlich der Stadt Danzig gründete der pommerellische Herzog Sambor um 1180 ein Zisterzienserkloster. Er wollte damit sowohl den Landesausbau fördern als auch eine würdige Grablege für seine Familie einrichten. Die für ihre Frömmigkeit, Arbeitseifer und Disziplin bekannten Mönche gingen rasch zu Werk und schon am Ende das 12. Jh. wuchs der erste aus Backstein errichtete Klosterbau in diesem Teil des Ostseeraums heran. Um die Mitte des 13. Jh. vollendete man die erste Klosterkirche in Form einer Basilika mit Querhaus und Rechteckchor. Nach einem Brand 1350 wurde der Bau nach Osten und Westen verlängert und erhielt einen Umgangschor. Als Bastion des Katholizismus hatte Oliva im 16. Jh. bei den protestantisch gewordenen Danzigern einen schweren Stand. Während der Belagerung Danzigs durch König Stephan Báthory 1577 zerstörten die Bürger das Kloster, mussten später aber den Wiederaufbau bezahlen. 1660 schlossen Polen und Schweden in den Mauern des Klosters einen Friedensvertrag, der den zweiten nordischen Krieg beendete. In der Mitte des 18. Jh. entstand der neue barocke Abtspalast (heute Museum für moderne Kunst) östlich der Kathedrale. Er wurde mit einem herrlichen Park umgeben, der heute ein beliebtes Ausflugsziel ist. 1831 erfolgte die Auflösung der Abtei und die Herabstufung des riesigen Gotteshauses zur einfachen Pfarrkirche. 1926 erlangte Oliva den Status des Bischofs-

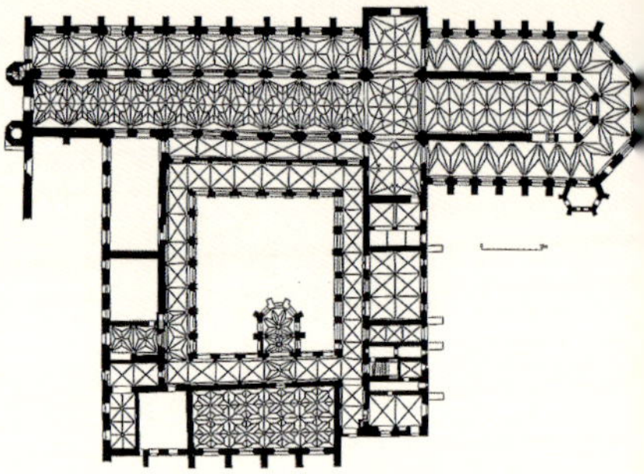

Oliva, Zisterzienserkloster, Gedenkstätte für den Friedensschluss 1660

Oliva, Zisterzienserkloster, Kreuzganggewölbe (oben) und Kircheninnenraum nach Osten (rechts)

Oliva, Zisterzienserkloster, romanische und gotische Backsteinelemente

sitzes der neuen Diözese Danzig. In den Klausurgebäuden ist heute das Priesterseminar untergebracht.

Die mittelalterliche Ausstattung der Kathedrale wurde 1577 zerstört. Von der Frühzeit der Kirche und des Kreuzgangs zeugen jedoch noch die mächtigen Backsteinmauern mit unterschiedlichen Kapiteltypen. Das Inventar stammt überwiegend aus dem 17. und 18. Jh. Sehenswert sind vor allem das manieristische Chorgestühl (1604), die darüber befindliche Galerie der Klostergründer und Stifter sowie der prächtige Orgelprospekt aus der Zeit des Rokoko (1763–88).